IL ÉTAIT  OIS

*Il était une (mini) fois,*
*des histoires fortes, des récits venus d'ailleurs*
*merveilleusement écrits par des conteurs d'aujourd'hui.*
*Il était une (mini) fois,*
*des classiques à découvrir dans leur version d'origine*
*ou écourtés avec un grand respect.*

ALPHONSE DAUDET

# La chèvre

## DE MONSIEUR
## SEGUIN

Didier Jeunesse

*M.* Seguin n'avait jamais eu
de bonheur avec ses chèvres.
Il les perdait toutes de la même façon ;
un beau matin, elles cassaient leur corde,
s'en allaient dans la montagne, et là-haut
le loup les mangeait.

Ni les caresses de leur maître, ni la peur
du loup, rien ne les retenait.
C'était, paraît-il, des chèvres indépendantes,
voulant à tout prix le grand air et la liberté.

Le brave M. Seguin, qui ne comprenait rien
au caractère de ses bêtes, était consterné.
Il disait :
    – C'est fini ; les chèvres s'ennuient
chez moi, je n'en garderai pas une.

Cependant, il ne se découragea pas, et,
après avoir perdu six chèvres de la même
manière, il en acheta une septième ;
seulement, cette fois, il eut soin
de la prendre toute jeune, pour qu'elle
s'habituât mieux à demeurer chez lui.

Qu'elle était jolie la petite chèvre de M. Seguin !
Qu'elle était jolie avec ses yeux doux,
sa barbiche de sous-officier,
ses sabots noirs et luisants,
ses cornes zébrées et ses longs poils blancs
qui lui faisaient une houppelande !
C'était presque aussi charmant que le cabri
d'Esméralda, et puis, docile, caressante,
se laissant traire sans bouger,
sans mettre son pied dans l'écuelle.
Un amour de petite chèvre...

M. Seguin avait derrière sa maison un clos
entouré d'aubépines. C'est là qu'il mit
la nouvelle pensionnaire. Il l'attacha
à un pieu, au plus bel endroit du pré,
en ayant soin de lui laisser beaucoup de corde,

et de temps en temps il venait voir
si elle était bien.

La chèvre se trouvait très heureuse
et broutait l'herbe de si bon cœur
que M. Seguin était ravi.

    – Enfin, pensait le pauvre homme,
en voilà une qui ne s'ennuiera pas
chez moi !

M. Seguin se trompait, sa chèvre s'ennuya.

*U*n jour, elle se dit
en regardant la montagne :
– Comme on doit être bien là-haut !
Quel plaisir de gambader dans la bruyère,
sans cette maudite longe qui vous écorche
le cou !... C'est bon pour l'âne ou pour
le bœuf de brouter dans un clos !...
Les chèvres, il leur faut du large.

À partir de ce moment, l'herbe du clos
lui parut fade. L'ennui lui vint.
Elle maigrit, son lait se fit rare.
C'était pitié de la voir tirer tout le jour
sur sa longe, la tête tournée du côté
de la montagne, la narine ouverte,
en faisant « Mé ! » tristement.
M. Seguin s'apercevait bien que sa chèvre
avait quelque chose, mais il ne savait pas
ce que c'était...

Un matin, comme il achevait de la traire,
la chèvre se retourna et lui dit dans
son patois :
    – Écoutez, M. Seguin,
je me languis chez vous,
laissez-moi aller dans la montagne.

– Ah ! mon Dieu !... Elle aussi !
cria M. Seguin stupéfait, et du coup
il laissa tomber son écuelle ; puis,
s'asseyant dans l'herbe à côté de sa chèvre :

– Comment, Blanquette,
tu veux me quitter !

Et Blanquette répondit :

– Oui, M. Seguin.

– Est-ce que l'herbe te manque ici ?

– Oh ! non, M. Seguin.

– Tu es peut-être attachée de trop court,
veux-tu que j'allonge la corde ?

– Ce n'est pas la peine, M. Seguin.

– Alors, qu'est-ce qu'il te faut ?
qu'est-ce que tu veux ?

– Je veux aller dans la montagne, M. Seguin.

– Mais, malheureuse, tu ne sais pas
qu'il y a le loup dans la montagne...
Que feras-tu quand il viendra?...

– Je lui donnerai des coups de cornes,
M. Seguin.

– Le loup se moque bien de tes cornes.
Il m'a mangé des biques autrement
encornées que toi... Tu sais bien, la pauvre
vieille Renaude qui était ici l'an dernier?
Une maîtresse chèvre, forte et méchante
comme un bouc. Elle s'est battue avec
le loup toute la nuit... puis, le matin,

# le loup l'a mangée.

– Pécaïre ! Pauvre Renaude !...
Ça ne fait rien, M. Seguin, laissez-moi
aller dans la montagne.

– Bonté divine !... dit M. Seguin ; mais
qu'est-ce qu'on leur fait donc à mes chèvres ?
Encore une que le loup va me manger...
Eh bien, non... je te sauverai malgré toi,
coquine ! Et de peur que tu ne rompes
ta corde, je vais t'enfermer dans l'étable,
et tu y resteras toujours.

Là-dessus, M. Seguin emporta la chèvre
dans une étable toute noire, dont il ferma
la porte à double tour.
Malheureusement, il avait oublié
la fenêtre et à peine eut-il le dos tourné,
que la petite s'en alla...

# Quand
## la chèvre blanche

arriva dans la montagne,
ce fut un ravissement général.
Jamais les vieux sapins n'avaient rien vu
d'aussi joli. On la reçut comme une petite
reine. Les châtaigniers se baissaient
jusqu'à terre pour la caresser du bout
de leurs branches.

Les genêts d'or s'ouvraient sur son passage,
et sentaient bon tant qu'ils pouvaient.
Toute la montagne lui fit fête.
Vous pensez si notre chèvre était heureuse !
Plus de corde, plus de pieu...
rien qui l'empêchât de gambader,
de brouter à sa guise...
C'est là qu'il y en avait de l'herbe !
Jusque par-dessus les cornes, mon cher !...
Et quelle herbe ! Savoureuse, fine, dentelée,
faite de mille plantes...
C'était bien autre chose que le gazon du clos.
Et les fleurs donc !...
De grandes campanules bleues,
des digitales de pourpre à longs calices,
toute une forêt de fleurs sauvages débordant
de sucs capiteux !...

La chèvre blanche, à moitié saoule,
se vautrait là-dedans les jambes en l'air
et roulait le long des talus, pêle-mêle
avec les feuilles tombées et les châtaignes...
Puis, tout à coup, elle se redressait
d'un bond sur ses pattes.
Hop ! la voilà partie, la tête en avant,
à travers les maquis et les buissières,
tantôt sur un pic, tantôt au fond d'un ravin,
là-haut, en bas, partout...
On aurait dit qu'il y avait dix chèvres
de M. Seguin dans la montagne.

C'est qu'elle n'avait peur de rien,
la Blanquette. Elle franchissait d'un saut
de grands torrents qui l'éclaboussaient
au passage de poussière humide et d'écume.

Alors, toute ruisselante, elle allait s'étendre
sur quelque roche plate et se faisait sécher
par le soleil...
Une fois, s'avançant au bord d'un plateau,
une fleur de cytise aux dents, elle aperçut
en bas, tout en bas dans la plaine,
la maison de M. Seguin avec le clos derrière.
Cela la fit rire aux larmes.

— Que c'est petit ! dit-elle ; comment
ai-je pu tenir là-dedans ?

Pauvrette ! de se voir si haut perchée,
elle se croyait au moins aussi grande
que le monde...

En somme, ce fut une bonne journée
pour la chèvre de M. Seguin.

Vers le milieu du jour, en courant de droite
et de gauche, elle tomba dans une troupe de
chamois en train de croquer une lambrusque
à belles dents. Notre petite coureuse
en robe blanche fit sensation.
On lui donna la meilleure place à la lambrusque,
et tous ces messieurs furent très galants...
Il paraît même – ceci doit rester entre nous –
qu'un jeune chamois à pelage noir,
eut la bonne fortune de plaire à Blanquette.
Les deux amoureux s'égarèrent parmi le bois
une heure ou deux, et si tu veux savoir
ce qu'ils se dirent, va le demander
aux sources bavardes qui courent
invisibles dans la mousse.

out à coup le vent fraîchit.
La montagne devint violette ;
c'était le soir…
    – Déjà ! dit la petite chèvre,
et elle s'arrêta fort étonnée.

En bas, les champs étaient noyés de brume.
Le clos de M. Seguin disparaissait
dans le brouillard, et de la maisonnette

on ne voyait plus que le toit avec un peu
de fumée. Elle écouta les clochettes
d'un troupeau qu'on ramenait,
et se sentit l'âme toute triste...
Un gerfaut, qui rentrait, la frôla de ses ailes
en passant. Elle tressaillit...
Puis ce fut un hurlement dans la montagne :
   – Hou !

Elle pensa au loup, de tout le jour la folle
n'y avait pas pensé...
Au même moment une trompe sonna
bien loin dans la vallée.
C'était ce bon M. Seguin qui tentait
un dernier effort.
   – Hou ! hou ! faisait le loup.
   – Reviens ! reviens !... criait la trompe.

Blanquette eut envie de revenir ; mais en
se rappelant le pieu, la corde, la haie du clos,
elle pensa que maintenant elle ne pouvait plus
se faire à cette vie, et qu'il valait mieux rester.
La trompe ne sonnait plus...
La chèvre entendit derrière elle un bruit
de feuilles. Elle se retourna et vit dans l'ombre
deux oreilles courtes, toutes droites,
avec deux yeux qui reluisaient...
C'était le loup.
Énorme, immobile, assis sur son train
de derrière, il était là regardant la petite
chèvre blanche et la dégustant par avance.
Comme il savait bien qu'il la mangerait,
le loup ne se pressait pas ;
seulement, quand elle se retourna,
il se mit à rire méchamment.

– Ha ! ha ! la petite chèvre de M. Seguin ;
et il passa sa grosse langue rouge
sur ses babines d'amadou.

Blanquette se sentit perdue…
Un moment, en se rappelant l'histoire
de la vieille Renaude, qui s'était battue
toute la nuit pour être mangée le matin,
elle se dit qu'il vaudrait peut-être mieux
se laisser manger tout de suite ;
puis, s'étant ravisée, elle tomba en garde,
la tête basse et la corne en avant,
comme une brave chèvre de M. Seguin
qu'elle était…
Non pas qu'elle eût l'espoir de tuer le loup –
les chèvres ne tuent pas le loup –
mais seulement pour voir si elle pourrait tenir

aussi longtemps que la Renaude...
Alors le monstre s'avança,
et les petites cornes entrèrent en danse.
Ah ! la brave chevrette, comme elle y allait
de bon cœur ! Plus de dix fois, elle força
le loup à reculer pour reprendre haleine.
Pendant ces trêves d'une minute,
la gourmande cueillait en hâte encore
un brin de sa chère herbe ; puis elle
retournait au combat, la bouche pleine...
Cela dura toute la nuit.

De temps en temps la chèvre de M. Seguin
regardait les étoiles danser dans le ciel clair
et elle se disait :
    – Oh ! pourvu que je tienne jusqu'à
l'aube...

L'une après l'autre, les étoiles s'éteignirent.
Blanquette redoubla de coups de cornes,
le loup de coups de dents...
Une lueur pâle parut dans l'horizon...
Le chant du coq enroué monta d'une métairie.
   – Enfin ! dit la pauvre bête,
qui n'attendait plus que le jour pour mourir ;
et elle s'allongea par terre dans sa belle
fourrure blanche toute tachée de sang...

# Alors le loup se jeta sur la petite chèvre et la mangea.

*Fin*

Ce texte a été publié à l'origine en livre-disque, raconté par Jacques Bonnaffé
sur des musiques d'Olivier Penard et illustré par Éric Battut.


© Didier Jeunesse, Paris, 2018, pour la présente édition
© Didier Jeunesse, Paris, 1999, pour le texte
60-62, rue Saint-André-des-Arts, 75006 Paris
www.didier-jeunesse.com

Conception graphique : Atelier SAJE
Photogravure : IGS-CP (16)
ISBN : 978-2-278-08462-3 • Dépôt légal : 8462/03
Loi n° 49-956 du 16 juillet 1949 sur les publications destinées à la jeunesse
Achevé d'imprimer en France en novembre 2019 chez Jouve (Mayenne),
imprimeur labellisé Imprim'Vert, sur papier composé de fibres naturelles renouvelables,
recyclables, fabriquées à partir de bois issus de forêts gérées durablement.
OF d'impression : 2941685A